AYASHI NO CERES 9

Un conte de fées céleste

Yuu Watase

AYA MIKAGÉ

ELLE S'EST DÉCIDÉE À SE BATTRE CONTRE SON DESTIN, À RETROUVER LA ROBE DE PLUMES ET À RENVOYER CÉRÈS CHEZ ELLE

RÉSUMÉ :

AYA MIKAGÉ, JEUNE LYCÉENNE APPAREMMENT NORMALE, EST LA DESCENDANTE D'UNE NYMPHE CÉLESTE. UN JOUR, SA PROPRE FAMILLE, LES MIKAGÉ, APPRENANT QUE AYA PORTE EN ELLE LES GÈNES DE LA NYMPHE, MONTE UN PLAN POUR L'ASSASSINER. ACCULÉE FACE À LA MORT, AYA EN PERD SA PERSONNALITÉ ET SE CHANGE EN CETTE FAMEUSE NYMPHE, CÉRÈS. CELLE-CI DÉCLARE À AKI, LE FRÈRE JUMEAU D'AYA, QU'IL EST CELUI QUI LUI A VOLÉ SA ROBE DE PLUMES !

KAGAMI MIKAGÉ QUANT À LUI, MET EN PLACE LE "PROJET C". SON PLAN CONSISTE À METTRE EN ÉVIDENCE LES GENS PORTEURS DU "GÉNOME C", CELUI DES NYMPHES ET À LES RASSEMBLER POUR S'EN SERVIR. MAIS TOYA, L'HOMME DE MAIN DES MIKAGÉ, FINIT PAR S'ÉLOIGNER DE KAGAMI ET DES MIKAGÉ POUR REVENIR AUPRÈS D'AYA.

PEU APRÈS, L'ANCÊTRE DES MIKAGÉ RENAÎT DANS LE CORPS DE AKI ET LE "PROJET C" EST REMIS EN ROUTE !!

LE MÊME SANG COULE DANS NOS VEINES... !?

... SAHARA... TU ES UNE... GÉNOME C ?!

TU AS PARLÉ DE "VENGEAN-CE"... DE QUOI S'AGIT-IL ?

LE FAIT EST QUE TU ES... OU PLU-TÔT QUE "AYA MIKAGÉ" EST MON ENNEMIE JURÉE !! FAIS-LA SORTIR !!

PEU IMPORTE

JE TE L'EXPLIQUE-RAI QUAND AYA SERA DEVANT MOI !

... COMME TU VOUDRAS... PUISQUE TU INSISTES ...

DOMMAGE DANS CE CAS... AYA REFUSE DE SORTIR, ELLE EST CONFINÉE EN MOI POUR UN BOUT DE TEMPS !!

5

LES BLA-BLAS DE YUU WATASE

Salut, c'est Watase ! Nous voici donc au volume 9 : l'histoire bat son plein (?), nous sommes en plein suspense ! Le déroulement est un peu rapide mais j'espère que je ne déçois personne. Toutefois, il y a comme un os ! Je dois vous présenter mes excuses et procéder à une petite correction concernant le volume 8 !! Page 186, dans le texte concernant "Animé expo'98…" (partie non traduite en français), eh bien, il y a eu comme un oubli (et quel oubli !) pardon !! Voici donc ce qui manquait : pour "La Mystérieuse Aventure de Jojo", les personnages sont créés par Junichi Hayama et toute une équipe de personnes célèbres y ont participé !! Et puis une faute de frappe a aussi été commise : dans la partie sur "Shikkari shinasai 2 !!", Tasuki se retrouve appelé "Hotohori", il fallait être gonflé pour écrire une telle chose !!… Le livre de poche édité m'a surprise énormément (c'est pas pour dire mais moi, je ne me trompe pas dans les noms). L'erreur a été commise au niveau de l'imprimerie. L'auteur écrit les dialogues au crayon à papier afin que le texte soit imprimé et collé ensuite dans chaque bulle. Les textes passent entre les mains de plusieurs personnes avant d'être enfin prêts pour la vente (lorsque j'étais gamine, je m'entraînais pour acquérir à une belle écriture, ah ah ah !). Cela arrive à tout le monde de se tromper, nous ne sommes que des humains alors soyez tolérants. Bien entendu, cela m'arrive aussi de me planter mais jamais dans les noms de mes personnages (rires). L'auteur se contente de rendre son œuvre mais les logos du titre ou la police du texte, ce n'est plus son affaire… De nombreuses personnes collaborent pour la réalisation d'un seul livre. Les erreurs seront corrigées dans les prochains retirages…

7

POURQUOI MIORI S'EST-ELLE TRANSFORMÉE EN "CÉRÈS"... !? EST-ELLE COMME MOI, PORTEUSE DU "GÉNOME C"

... JE N'Y COMPRENDS RIEN ... !!

"AYA MIKAGÉ EST MON ENNEMIE JURÉE"

BON SANG... !! SI SEULEMENT CETTE MIGRAINE FICHAIT LE CAMP...

RIEN À FAIRE !

AYA... AYA MIKAGÉ...

PLUS JAMAIS TU N'AURAS L'OCCASION DE TE SOUVENIR DE CETTE FILLE !!

IL SERAIT PLUS SAGE DE L'OUBLIER DÈS MAINTENANT, NON ?

8

CLANG

... C'EST COMPLÈTEMENT ABSURDE !!

KAGAMI M'A LAISSÉ ENTENDRE QU'IL DÉSIRAIT OBTENIR TA PUISSANCE MAIS CE N'EST PAS MON CAS ...

... JE VAIS DONC ME FAIRE UN PLAISIR DE T'ÉLIMINER !!

TOUT A ÉTÉ... FABRIQUÉ ... !?

EH OUI, TU N'ES QU'UN PAUVRE PANTIN DONT LA MÉMOIRE A ÉTÉ GREFFÉE !!

11

QUI SUIS-JE ?!

IL A ÉTÉ DIFFICILE DE LUI CRÉER UNE PERSONNA-LITÉ... ALLONS-NOUS DEVOIR LUI GREFFER UNE NOUVELLE MÉMOIRE ?

MIORI NOUS A BIEN SERVIS POUR MONTER CE SCÉNARIO... MAIS ELLE A PRIS SON RÔLE TROP AU SÉRIEUX...

BON ...

REVENEZ ICI AVEC TOYA !!

BIEN JOUÉ... NE LES PERDEZ PAS DE VUE !!

CELA VA NOUS PERMETTRE D'OBSERVER EN TOUTE TRANQUILLITÉ LA VRAIE PUISSANCE DE SES POUVOIRS !

CHEF ! J'AI CAPTÉ CÉRÈS ET LA "CÉRÈS TYPE B" !

... JE TROUVE NOTRE FON-DATEUR BIEN BAVARD... ILS SONT TOUS À METTRE DANS LE MÊME SAC !

QUEL SILENCE...

PAS UN BRUIT... PAS UNE LUEUR...

JE VAIS RESTER AINSI... AU MOINS JE N'AURAI AFFAIRE AVEC PERSONNE...

ET PERSONNE NE SERA PLUS JAMAIS BLESSÉ...

PLUS JAMAIS BLESSÉ... À CAUSE DE MOI...

...AINSI JE NE SOUFFRIRAI PLUS, LAISSONS FAIRE LES CHOSES...

C'EST CE QUE JE ME DISAIS...

OUI, LES YEUX FERMÉS ME PERMETTENT DE RESTER AVEUGLE FACE À LA RÉALITÉ !

JE N'AI PLUS ENVIE D'ÊTRE UNE FILLE MALHONNÊTE !

KRIII

KRIII

...
MA PAUVRE PERSONNE ME DÉGOÛTE DE PLUS EN PLUS ...

RÉSIGNE-TOI À TE BATTRE ... !!

BAOUM

ET PUIS... IL Y EN A D'AUTRES QUI TÉMOIGNENT LEUR AMOUR MÊME À UNE PAUVRE FILLE COMME MOI

HIROBÉ !

MAIS JE L'AIME MALGRÉ TOUT... J'AI DE LA HAINE MAIS JE L'AIME ...

...
JE NE VEUX PAS DEVENIR UNE "NYMPHE CÉLESTE"... JE VEUX SEULEMENT VIVRE HEUREUSE...

SUZUMI ...

ABSOLUMENT, EN TANT QUE FEMME, JE SOUHAITE QUE TU CONNAISSES TRÈS VITE À TON TOUR CE BONHEUR !...

JE NE SUIS PAS FORTE NON PLUS...

MAIS ALORS... !! COMBIEN DE TEMPS FAUDRA-T-IL ENCORE QUE J'ATTENDE !? JE NE SOUFFRE PEUT-ÊTRE PAS ASSEZ ?!! JE NE SUIS PAS AUSSI FORTE QU'ON NE LE PENSE !!

LORSQUE J'AI PERDU MON MARI ET MON ENFANT... JE N'AI PLUS FAIT QU'ES-SAYER DE FUIR MON DESTIN ...

MAIS MAINTENANT J'EN SUIS VENUE À PENSER QUE... PLU-TÔT QUE DE TOURNER LE DOS À SON DES-TIN, IL FAUT SE RELE-VER ET Y FAIRE FACE... !

PLUS JAMAIS JE NE SERAI AUPRÈS DE TOYA !!

JE DOIS L'OUBLIER... LAISSE-MOI L'OUBLIER !!

...
PLUS J'AI ENVIE D'ÊTRE AUPRÈS DE LUI ET PLUS JE SOUFFRE ...

GRAAAAH

QUE JE SOUFFRE DAVANTAGE !?

QU'AT-TENDS-TU DE MOI ?!

SA VOIX...

...TO...
YA...
?

JE L'AI
ENTENDUE
!

TU T'ES TRANSFORMÉE... EN CÉRÈS... COMME MOI... ?! POURQUOI... POURQUOI ES-TU EN "CÉRÈS" !?

TU DIS QUE NOUS PARTAGEONS LE MÊME SANG ... !?

OUI, MIKAGÉ ...

... SAHARA ...

C'EST BIEN TOI !?

CHAQUE FILLE PORTEUSE DU "GÉNOME C" QUI SE RÉVEILLE, RESSEMBLE À SA "NYMPHE ANCESTRALE" ET HÉRITE DE SON POUVOIR COMME TU LE SAIS...

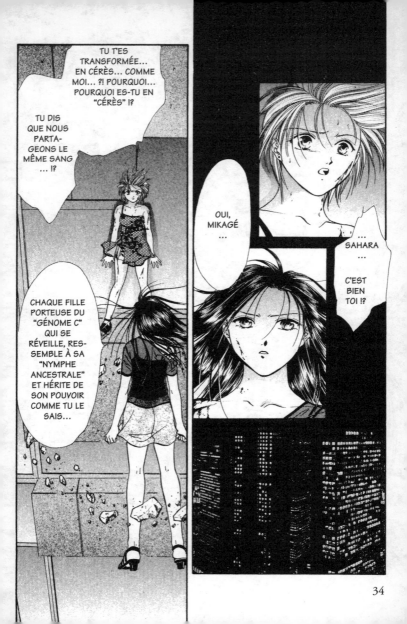

34

GEH !!

QUOI
... !?

...
IL EST DONC
NORMAL QUE
JE DEVIENNE
"CÉRÈS" !

MA... MA
COUSINE
!?

EN TO MAYUES

MA MÈRE...
A TOUJOURS
REFUSÉ DE
CONTRACTER
UN MARIAGE
CONSANGUIN
AVEC LES
MIKAGÉ...
ET ELLE EST
PARTIE AVEC
MON PÈRE
"SAHARA" À
SHIZUOKA
...

TU AS BIEN
ENTENDU !...
SEULEMENT,
NOUS NE
NOUS
SOMMES
JAMAIS REN-
CONTRÉES
...

PUISQUE JE SUIS
TA COUSINE !!

JUSQU'AU 24 SEPTEMBRE DE L'ANNÉE DERNIÈRE !

MAIS AVEC MA MÈRE... JE PASSAIS DES JOURS HEUREUX ...

MON PÈRE EST MORT LORSQUE J'ÉTAIS EN PRIMAIRE ...

LA FAMILLE SAHARA AUSSI ÉTAIT CONTRE LEUR UNION ET ILS ONT DÛ S'ENFUIR !

LE 24 SEPTEMBRE ... DE L'ANNÉE DERNIÈRE... ?

LE JOUR DE TON ANNIVERSAIRE... !!

OUI

36

"C'EST UNE SIMPLE CÉRÉMONIE ? ALORS MOI AUSSI JE POURRAI ALLER CHEZ GRAND-PÈRE POUR MES 16 ANS ! J'EN PROFITERAI POUR ME PROMENER DANS TOKYO !"

"C'EST ABSURDE MAIS C'EST UNE COUTUME CHEZ LES MIKAGÉ... ET MON PÈRE TIENT À LA PRÉSERVER COÛTE QUE COÛTE, JE PENSE QUE TOUT SE DÉROULERA SANS PROBLÈME"

"MAMAN, C'EST AUJOURD'HUI QUE TU VAS À TOKYO ?"

"OUI... JE VAIS À L'ANNIVERSAIRE DES JUMEAUX QUI FÊTENT LEURS 16 ANS"

"BON VOYAGE MAMAN !"

"BON, J'Y VAIS"

"N'OUBLIE PAS DE ME RAMENER UN PETIT SOUVENIR, HEIN ?!"

"MAIS LE SOIR MÊME, J'AI REÇU UN APPEL DES MIKAGÉ..."

"ELLE EST PARTIE LE SOURIRE AUX LÈVRES... DISANT QU'ELLE NE S'ATTARDERAIT PAS SUR LE CHEMIN DU RETOUR..."

ILS ME DEMANDAIENT DE VENIR À TOKYO SUR-LE-CHAMP... À L'HÔPITAL...

SES ORGANES INTERNES AVAIENT ÉCLATÉ !! SON ÉTAT ÉTAIT DÉSESPÉRANT, SANS AUCUN ESPOIR DE GUÉRISON !!

COUVERTE DE SANG... MAMAN GISAIT INERTE !!

"DÉSORMAIS, IL N'Y AURA PLUS DE CÉRÉMONIE AUSSI INSIGNIFIANTE... LES MIKAGÉ SUBVIENDRONT À TES BESOINS POUR VIVRE"

...J'AI APPRIS QUE LES AUTRES MEMBRES DE LA FAMILLE AVAIENT ÉTÉ GRAVEMENT BLESSÉS... QUE C'ÉTAIT DÛ À UN ACCIDENT !!

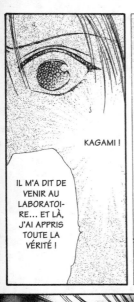

KAGAMI !

IL M'A DIT DE VENIR AU LABORATOIRE... ET LÀ, J'AI APPRIS TOUTE LA VÉRITÉ !

J'AVAIS PEUR... TELLEMENT PEUR QUE... J'AI CONTACTÉ CE COUSIN QUI S'ÉTAIT MONTRÉ SI GENTIL À MON ÉGARD...

JE VIVAIS DES JOURS PÉNIBLES SANS POUVOIR ADMETTRE CE QUI S'ÉTAIT PASSÉ... CEPENDANT... IL Y A QUELQUES MOIS, QUAND ON A ANNONCÉ LA MORT DE NOMBREUSES PERSONNES DANS LE PAYS...

... C'EST LÀ QUE JE ME SUIS APERÇUE DE MA TRANSFORMATION !!

LA MORT DE MAMAN N'AVAIT PAS ÉTÉ ACCIDENTELLE !!

ELLE AVAIT ÉTÉ ASSASSINÉE PAR AYA MIKAGÉ !!

JE VAIS TE TUER !!

SALAUD ...

MON BRAS ...

STAM

MAÎTRE AKI !!

DAH

ATTENDS !!

LORS DE CE 16E ANNIVERSAIRE QUI A COMPLÈTEMENT CHANGÉ NOTRE VIE À AKI ET À MOI,

CE JOUR PRÉCIS OÙ LA NYMPHE CÉLESTE S'EST RÉVEILLÉE EN MOI...

ILS M'AURAIENT TOUS TUÉE !!

LES BLA-BLAS DE YUU WATASE

Ah, au fait, pour ceux qui auraient chez eux le volume 3, la dernière réplique de Toya est "...vous avez donc l'intention de donner naissance à d'autres nymphes célestes" et non "à d'autres cérès" comme cela a été imprimé !! Les autres descendantes des nymphes sont porteuses du génome C ! La correction se fera sans doute un peu plus tard. Rectifiez donc vous-même l'erreur. Cette faute d'impression nous laisserait entendre que toutes les nymphes sont descendantes de Cérès, vous vous rendez compte de l'erreur !! Il va falloir que l'on fasse attention mais je ne peux pas non plus voir toutes les erreurs... Et puis, j'ai même failli oublier de vous les mentionner. Bref, changeons de sujet et parlons personnages. Cérès a un succès fou parmi les filles, elles veulent toutes lui ressembler. "Elle est belle, forte et a du chien", voilà ce qu'on dit d'elle. Certes, au début de l'histoire c'était une fille plutôt soupe au lait qui faisait fuir tout son monde mais tout de même féminine, malgré elle. Elle devait sûrement être une gentille fille débordante d'affection mais voyez-vous, la personnalité d'une jeune femme change en fonction de l'homme qu'elle fréquente (rires). Mon assistante m'a dit : "elle a un côté maternel" cependant, je doute qu'elle ait plus de 20 ans. On la compare à une étrange créature mais elle est bel et bien humaine. Le côté obscur de sa personnalité cache Cérès telle la femme qui se cache derrière une jeune fille. Nous entrons dans le domaine du "moi" et d'un "autre moi" (que dis-je ?). Le fait qu'elle se transforme vous induit en erreur. Eh oui ! Et si Cérès n'était que l'histoire d'une jeune fille qui se transforme !?... mais non, je blague (rires). Comment va se terminer cette vieille histoire entre Aya et le fondateur ? Qu'est-il vraiment advenu de la robe de plumes ? Voilà où nous en sommes...

47

MIORI ...!!

HEIN !?... MAIS ATTENDEZ UN PEU !!

TU AS RAISON ...!!

LÀ BAS... C'EST AYA, NON !?

HEEEEEEEIIIII IIIIINNNN !?

REGARDEZ !?

LÀ !! TOUT EN HAUT ! C'EST CÉRÈS !?

QU'Y A-T-IL CHIDORI ?

... COUPEZ ...LES CAMÉRAS ...

... CHEF

TEUF TEUF

... PAUVRE FILLE ...

DEPUIS TOUJOURS, LES ÊTRES VIVANTS ONT LUTTÉ POUR RESTER EN VIE...

CROYAIT-ELLE QUE SA MORT VENGERAIT QUOI QUE CE SOIT ?

AYA ! YUHI ! FAUT QU'ON S'EN AILLE D'ICI SINON ON RISQUE DES ENNUIS !

EUH... OUI, ON ARRIVE !

BLA

BLA

AYA !

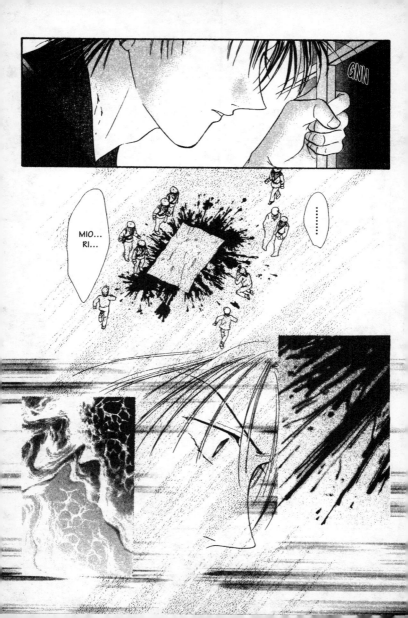

"'LA DIXIÈME NUIT'... 'TOYA'... FAISONS DE CECI TON NOM..."

LES BLA-BLAS DE YUU WATASE

Bon, passons à autre chose. Comme je vous l'ai dit dans le volume précédent, mon lycée m'a demandé de dessiner son nouvel uniforme... et suite à une invitation, je me suis rendue à la "kermesse" dudit établissement. Je me suis permise d'y emmener quelques amies profitant de mon statut d'ancienne élève et... j'étais très confuse de voir que tout le monde me traitait comme une reine. Cette petite virée a été pour moi un moment de détente qui m'a permis de souffler un peu... (deux semaines d'enfer m'attendaient les bras ouverts). Outre le nom de "Sakai, lycée pour filles", le lycée en lui-même n'a pas changé mais... l'ambiance générale m'a semblé plus joviale et les bâtiments étaient plus colorés. J'en ai eu une bonne impression. Je n'ai pas pu tout voir du fait que je suis arrivée en retard (dommage) mais les élèves étaient toutes excitées de ma présence. J'ai pu revoir mes anciens professeurs et cela m'a fait plaisir de les voir en pleine forme. Je m'aperçois combien on est aveugle lorsque l'on est lycéenne...

Je n'ai pas pu passer inaperçue (normale, il y avait des affiches sur tous les murs). Elles m'ont bombardée de photos, sont venues me serrer la pince en m'appelant "sempai" (rires) au lieu de "maître Watase" et cela m'a fait chaud au cœur. Étant donné que je faisais partie des clubs "cinéma" et "art", je suis passée leur faire un petit coucou. J'ai passé un moment très enrichissant (?). "Je me suis inscrite dans cette école car je suis une fan de vous" m'a-t-on dit, quelle surprise !! D'autres se mettaient à pleurer en me voyant. Le club de musique était en plein boum, semble-t-il, je n'ai pas arrêté de les prendre en photo et j'espère qu'elles ne m'en voudront pas. En tout cas, je remercie tout le monde de m'avoir accueillie chaleureusement ! Je remercie également le surveillant général (une femme) qui m'a dit que, désormais, je pourrai la compter parmi mes fans... J'ai trouvé les professeurs et les élèves très sympathiques (et quels bons vivants !!). Une excellente ambiance règne dans cette école, ce qui n'est pas forcément le cas ailleurs !! Elle me donne envie d'y retourner faire des études. J'ai signé des autographes en cachette. J'ai hâte de regarder les photos que l'on a prises toutes ensemble...

... EST-CE QUE AYA VA BIEN... ?

ELLE REFUSE DE MANGER... ELLE VA FINIR PAR TOMBER MALADE

ELLE N'EST PAS SORTIE DE SA CHAMBRE DEPUIS DES JOURS...

「……」

OUI... J'AI PU PROTÉGER MA PROPRE VIE... EN L'ÔTANT À UNE AUTRE...

"MAIS TU LE SAIS, N'EST-CE PAS ?..."

... CÉRÈS... TOI AUSSI... TU VAS T'Y METTRE ... ?

"C'EST MOI QUI AI ACCULÉ MIORI SAHARA AU SUICIDE"

TOYA... PLUS JAMAIS NOUS NE NOUS REVERRONS ...

UN JOUR... TOYA AVAIT DIT LA MÊME CHOSE

RESTER EN VIE EST PARFOIS BIEN PLUS PÉNIBLE QUE MOURIR

SHRAAH ...

TOYA ...!?

MAIS... QU'EST-CE QUE TU FICHES LÀ... ?

JE N'AI PAS PU M'EM- PÊCHER DE PENSER À AYA ALORS... J'AI CHERCHÉ VOTRE MAISON ...

... JE M'ÉTAIS CACHÉ LOIN DE LA "FAMILLE MIKAGÉ" MAIS...

ELLE FAIT PITIÉ À VOIR... MALGRÉ SA SOUFFRANCE, ELLE DOIT CERTAINE-MENT ENCORE ÉPROUVER DES SENTIMENTS POUR TOI !!

T'EN FAIS QUOI D'AYA !? ELLE EST COMPLÈTE-MENT AFFAIBLIE !!

VA LA VOIR... TU ES LE SEUL À POUVOIR LA SORTIR DE SA DÉTRESSE !! JE T'EN SUPPLIE, VA VOIR AYA !!

YUHI !!

JE NE PEUX PAS !!!!

J'AI COMMIS LA PLUS CRUELLE DES INFAMIES EN L'"OUBLIANT" ET MAINTENANT JE NE PEUX MÊME PLUS ME SOUVENIR D'ELLE !! TU VEUX QUE JE ME PRÉSENTE DEVANT ELLE COMME SI DE RIEN N'ÉTAIT !?

HAH

MAIS... PENDANT PLUSIEURS JOURS J'AI ESSAYÉ DE ME SOUVENIR DE L'ANNÉE QUE NOUS AVIONS PASSÉE ENSEMBLE ET... JE ME SUIS RENDU COMPTE QUE

JE NE PEUX PAS ME PERMETTRE DE RESTER AUPRÈS DE TOI EN TANT QUE "TOYA MIZUKI" ET IL EN ÉTAIT DE MÊME POUR MIORI...

PARDONNE-MOI... AYA...

MON CŒUR ME FAISAIT SOUFFRIR BIEN PLUS QUE MA MIGRAINE... UNE DOULEUR DÉCHIRANTE S'EST EMPA- RÉE DE MOI ...

92

JE PENSAIS QUE JE N'EXISTAIS PLUS QUE POUR... ENLEVER LA VIE À AUTRUI

!

MAIS JE ME SUIS FOURVOYÉE ....

ET JAMAIS... ON NE M'A LAISSÉ TOMBER...

TOYA ...

C'EST AINSI QUE TU LE PRENDS TOYA, TU VEUX QUE J'OUBLIE MIORI ET

QUE JE VIVE ...

ON VA MANGER ET SI TU NE TE LÈVES PAS JE VAIS MANGER TA PART !

SBONG

AYAAA AA, DEBOO- OOUT !!

C'EST UN JOUET POUR ADULTES !!

OH ! ÇA Y EST, JE SAIS !

CHIDORI !! FAIS GAFFE, J'AURAIS ÉTÉ JOLIE AVEC CE POIGNARD PLANTÉ DANS LA FIGURE !!

...QUE FAITES-VOUS DONC ?!

QUOI ?

AH, C'EST CE FAMEUX TRUC ?! ÇA VIENT DE TOYA... ET ÇA SERT À QUOI ?

104

LES BLA-BLAS DE YUU WATASE

Passons maintenant aux événements de Shizuoka. Quel personnage cette Miori ! J'ai eus des échos du genre "pff" ou bien "je la déteste", ma foi, elle est devenue célèbre parmi nous (rires). 98% des personnes ont dit "je ne l'aime pas"! Finalement, Toya se retrouve avec des souvenirs qui lui sont étrangers, ce qui lui a coûté une belle défaite. Je comprends son sentiment de vouloir à tout prix se remémorer le passé surtout au point où il en est. Dites donc, cette Miori, quelle comédienne ! (rires). Quand je pense que ce genre de fille existe réellement dans la vie. Écoutez les commentaires que je reçois concernant Toya : "je le préfère cool et mystérieux tel qu'il était auparavant, quand il n'a de sentiment que pour Aya !!". Ses interventions dans l'histoire vont se faire rares (vous comprenez, dessiner Aya et Toya ensemble, c'est une vraie prise de tête !) mais je vous rassure, il se rattrapera. Au fait, vous avez tous réagi en voyant "Aya aux cheveux courts"... Beaucoup ont été choqués, ils la trouvent mignonne mais quand même cela ne vaut pas sa longue chevelure... Oui, j'avoue que j'ai longuement hésité avant de prendre une telle décision. Je voulais qu'elle les coupe dans un moment de chagrin et de détresse, une déception amoureuse, par exemple, mais jamais Aya n'aurait eu ce réflexe et en faisant passer cet acte pour un "accident", cela change du tout au tout. Malgré les compliments de Toya faits sur ses cheveux longs, j'ai osé le lui couper et cela ne me déplaît point du tout, cet acte symbolique donne du piment à l'histoire. Cette scène en a fait pleurer plus d'une (mon assistante en premier, une vraie madeleine !). Elle est bien avec ses cheveux courts et puis ça va repousser. Toya et Yuhi vont eux aussi changer de coiffure. Le changement, c'est bon pour lutter contre la monotonie.

...Je serais tellement contente si vous pouviez vous pencher très sérieusement sur l'attitude de Miori. Nombreux sont ceux qui ont été choqués par son comportement. Cependant, j'ai eu une petite pensée pour les jeunes qui se suicident du fait qu'ils sont victimes de racket. Cela a fichu le moral à zéro à mes assistantes (j'avoue que cela m'a affecté en dessinant cette scène) "on a dû la ramasser à la petite cuillère", m'a-t-on écrit.

TU VEUX RETOURNER À SHIZUOKA À LA RECHERCHE DE LA ROBE DE PLUMES !?

OUI !

MAIS... AYA ! POURQUOI RETOURNER LE COUTEAU DANS LA PLAIE... ? TON CŒUR EST ENCORE MEURTRI ! ET TES BLESSURES !!

JE ME PORTE BEAUCOUP MIEUX

SHURO N'EST PAS LÀ

TU N'ES PAS ENCORE RÉTABLIE... SAHARA TE TOURMENTE ENCORE...

...CERTES, LA DOULEUR EST ENCORE PRÉSENTE... MAIS JE NE VEUX PAS OUBLIER SA MORT ...

TU VAS ME LÂCHER AVEC ÇA ?!!

NOOON

EN EFFET, LE JOUET POUR ADULTES AVEC LEQUEL TU JOUAIS TOUT À L'HEURE EN EST LA PREUVE !

SHIZUOKA

NE SERAIT-CE QUE POUR FRANCHIR UN CAP... LAIS-SEZ-MOI Y ALLER !

...
ENFIN BON, ESSAYONS QUAND MÊME
...

IL Y A BIEN DES "MIZUKI" QUI HABITENT DEUX VILLES PLUS LOIN MAIS IL NE FAUT PAS SE FAIRE D'ILLUSIONS
...

EN FAIT, SI JE COMPRENDS BIEN, SAHARA A FAIT PASSER TOYA POUR UN MEMBRE DE LA FAMILLE MIZUKI...

TOUS LES JOURS, PENDANT UN MOIS, JE N'AI CESSÉ D'Y PENSER
!...

À QUOI POUVAIT-ELLE BIEN... PENSER ?

SEULE PENDANT UNE ANNÉE, MIORI A PASSÉ SES JOURS DANS SA MAISON ...

QUANT À CHIDORI, ELLE N'EST PAS RETOURNÉE CHEZ ELLE... ALORS QU'ELLE DOIT SE FAIRE DU SOUCI POUR SON PETIT FRÈRE...

ELLE NE PROFITE MÊME PAS DE SES GRANDES VACANCES...

C'EST NORMAL... SHURO NOUS SUIT PARTOUT EN DISANT "T'OCCUPE, LAISSE FAIRE" ...

DIRE QUE JE LES AI EMBARQUÉE DANS UNE HISTOIRE DE FAMILLE... ET LES AOGIRI NE SONT QUE DES ÉTRANGERS APRÈS TOUT, MAIS POURTANT ILS SONT TOUS LÀ... POUR ME PROTÉGER

QUE TU AURAIS DÛ COMMENCER À CHERCHER ICI, À SHIZUOKA, TON PAYS NATAL !!

ZUT, UN COUP D'FIL ! VAS-Y, JE TE REJOINS !

RRRRR

EN CE MOMENT SON MANAGER NE LA LÂCHE PLUS D'UNE SEMELLE

EUH... C'EST LE SUJET DE NOTRE DEVOIR POUR LA RENTRÉE...

...ELLE N'A RIEN D'UNE DESCENDANTE D'UNE NYMPHE CÉLESTE...

VOUS ÊTES SÛRS D'ALLER BIEN ? À QUOI ÇA VOUS SERVIRAIT DE CONNAÎTRE SON HISTOIRE ?

SI SEULEMENT QUELQU'UN AVAIT PU SOUTENIR MIORI AUSSI...

LA ROBE DE PLUMES ?

FUuH

JE PENSE QUE MA GRAND-MÈRE POURRA VOUS RENSEIGNER

JE VOUS PRÉVIENS, ELLE EST PLUTÔT SPÉCIALE ET JE DOUTE QUE VOUS PUISSIEZ DISCUTER AVEC ELLE...

OÙ PEUT-ON LA TROUVER ...?

TEUF TEUF
TEUF TEUF

LÀ, MAINTENANT ? DANS LA FORÊT DE SAPINS, AUX CÔTES DE MIHO!

BOBOM

STAP STAP STAP

QUELLE VITESSE !

EXCUSEZ-MOI, À PROPOS DE LA "ROBE DE PLUMES"... J'AIMERAIS UN RENSEIGN ...

J'EN ÉTAIS SÛRE !

MA PETITE-FILLE EN EST UN BON EXEMPLE, ELLE NE SE PRÉOCCUPE QUE DE SON PHYSIQUE, PARÉE JUSQU'AU COU MAIS QUAND VOUS SONDEZ LE FOND, VOUS N'Y TROUVEZ QUE DALLE, ELLE N'EST MÊME PAS FICHUE DE LIRE OU D'ÉCRIRE CORRECTEMENT MAIS POUR CE QUI EST DE FAIRE DES EMPLETTES ÇA, ÇA VA TOUT SEUL, LES JEUNES DE MAINTENANT SONT DE VRAIES LARVES, ILS PASSENT LEURS JOURNÉES AFFALÉS PAR TERRE

JE N'SAIS PAS DE QUOI VOUS PARLEZ !

MAIS VOTRE PETITE-FILLE NOUS A DIT QUE VOUS SAURIEZ NOUS AIDER !

ET ALORS ? J'AI HORREUR DES JEUNES GENS !!

STOP

...MAIS... ? MAINTENANT QUE JE TE REGARDE ...

110

J'AGIRAI DANS LA LIMITE DE MES CAPACITÉS... MAIS PARCE QUE JE SUIS RESPONSABLE DE LEUR MALHEUR...

JE VIVRAI CHAQUE MOMENT DE MA VIE AVEC ARDEUR... !!

AYA ...

TU APPARAIS DANS MA VIE TOUT À COUP, TU M'TIENS LA JAMBE AVEC TON CHARABIA... QUE VEUX-TU AU JUSTE ? JE N'Y COMPRENDS RIEN À TON HISTOIRE DE ROBE DE PLUMES ET DE RESPONSABILITÉ !

IL EXISTE UNE VILLE AUSSI CÉLÈBRE QUE MIHO, LA VILLE DE "TANGO"... LÀ ÉTAIT ÉRIGÉ LE TEMPLE D'UNE NYMPHE QUI SUCCOMBA À LA MORT DANS LE DÉSESPOIR DE NE PLUS JAMAIS RETOURNER DANS LES CIEUX... LA RÉGION A ÉTÉ, JADIS, COMPLÈTEMENT INONDÉE...

LES HABITANTS DISAIENT "ON A DÛ TOUCHER À LA ROBE DE PLUMES"... C'EST UNE LÉGENDE PARMI TANT D'AUTRES ...

LA "ROBE DE PLUMES" COLLÉE À LUI, L'HOMME A ÉTÉ BRÛLÉ ET ENTERRÉ... QUELQUE PART DANS LA FORÊT DE SAPINS DE MIHO...

LA PEUR LES SAISIT ET ILS PARLÈRENT D'UNE "PUNITION DIVINE"... C'EST CE QUE MA FAMILLE M'A TOUJOURS RACONTÉ...

LA "ROBE DE PLUMES"!? QUELLE AUTRE MALÉDICTION A-T-ELLE PU APPORTER...?

TANGO ...

FINIS LES CONTES !! VOUS ALLEZ ME LÂCHER MAINTENANT !?

ÇA M'FAIT PENSER QUE J'AI RENCONTRÉ UN HOMME QUI PASSAIT SES JOURNÉES FIGÉ AU BORD DE L'EAU À CONTEMPLER L'OCÉAN

... FRANCHEMENT... ON NE RENCONTRE PLUS QUE D'ÉTRANGES TOURISTES À MIHO

AH !

VOUS VOUS REMERCIONS BEAUCOUP

GROMMELLE, GROMMELLE

À QUOI RESSEMBLAIT CET HOMME !?

IL A ATTIRÉ MON ATTENTION ET JE L'AI ACCOSTÉ POUR PLAISANTER ...

...UN JOUR... J'IRAI LA CHERCHER, DISAIT-IL

TU VOIS, CELLE QUI EST À L'ENTRÉE DE LA FORÊT !

C'ÉTAIT★ UN JEUNE HOMME UN PEU TYPÉ... IL ÉTAIT ASSIS LÀ, IMMOBILE... TELLE UNE EFFIGIE DE HAKURYO

... À HAKURYO QUI RÊVAIT DE SA NYMPHE BIEN-AIMÉE !

★"HAKURYO : NOM D'UN PÊCHEUR INTERVENANT DANS "LA LÉGENDE DE LA ROBE DE PLUMES" À MIHO

SHHHH

···
ÇA VA
LOIN
CETTE
HISTOIRE
!!

TU CROIS QUE LES MICOCOULIERS ONT PRIS RACINE À MIYAGI À CAUSE DE LA "ROBE DE PLUMES"? "ELLE APPORTE LA MALÉDICTION" A DIT CETTE FEMME!

ET CÉRÈS RESTE SILENCIEUSE!

MM?

D'APRÈS TOYA, LES MIKAGÉ VERRAIENT PLUTÔT UNE "NYMPHE" COMME UN ÊTRE INTELLIGENT VENANT DE L'ESPACE...

ET SI CETTE HISTOIRE ÉTAIT VÉRIDIQUE? SI LA ROBE DE PLUMES N'ÉTAIT QU'UN TRUC COMPLÈTEMENT ABSURDE... TU FERAIS QUOI, AYA?

ELLE SE TRANSFORME EN NYMPHE ...

"LORSQU'UNE FEMME EST AMOUREUSE ET QU'ELLE NAGE DANS LE BONHEUR

119

120

TANGO,
ANCIENNE
RÉGION
DU NORD
DE KYOTO

...
ADIEU...
MIORI...

ALORS...
DIRIGEONS-NOUS
À PETITS PAS
...

ET APPRENONS
À DEVENIR
FORTS...

...
NYMPHE DE
MIHO

AFIN DE POUVOIR
APPORTER NOTRE
PROTECTION, UN
JOUR, À AUTRUI
...

AFIN DE
SOUTENIR NOS
PROCHES
...

D'APRÈS MADAME MIZUKI, LE VILLAGE ET LE TEMPLE EN QUESTION AURAIENT DISPARU SUITE À LA FAMEUSE INONDATION !

SELON NOS RECHERCHES, LE TEMPLE AURAIT DÛ SE TROUVER ...

MALGRÉ SA ROBE DE PLUMES, ELLE NE PUT RETOURNER DANS LES CIEUX ET LE BAS-MONDE NE CESSA DE LA SOUILLER... SON DÉSESPOIR LA MENA DANS UN VILLAGE OÙ ELLE Y SÉCHA SES LARMES ET RETROUVA LA SÉRÉNITÉ... UN TEMPLE A ÉTÉ ÉRIGÉ À CET ENDROIT EN SA MÉMOIRE...

ENSUITE ...

ICI !!

L'HISTOIRE DE TANGO, VILLE DU JAPON D'ANTAN, EST MARQUÉE PAR UNE "LÉGENDE DE LA ROBE DE PLUMES" QUI REMONTE À DES MILLÉNAIRES ...

ELLE RELATE L'HISTOIRE D'UNE NYMPHE NOMMÉE WANASA, FILLE ADOPTIVE D'UN VIEUX COUPLE ...

ELLE FABRIQUA UN ÉLIXIR GUÉRISSANT TOUTES SORTES DE MALADIES GRÂCE À SES POUVOIRS ET PERMIT AINSI À SON PAYS DE VIVRE DANS LA PROSPÉRITÉ... MAIS UN JOUR, ELLE FUT MISE DEHORS PAR SES PARENTS ADOPTIFS

MOUAIS...

...JE NE VEUX PAS M'ÉLOIGNER DE TOI... JUSQU'À CE QUE TOYA REVIENNE...

C'EST L'ENDROIT IDÉAL POUR TROUVER DES INDICES CONCERNANT LA "ROBE DE PLUMES", NOTRE BUT EST DE RETROUVER DES VESTIGES DÉCOUVERTS SUR DES CHANTIERS DE CONSTRUCTION !

OH NOOO ON !

JAMAIS JE N'AURAIS CRU QU'ON TROUVERAIT UNE ÉCOLE À LA PLACE

J'EN AI MARRE DE CHANGER D'ÉCOLE... !

GROSSE DÉCEPTION

JE COMPRENDS MAIS CE N'ÉTAIT PAS LA PEINE DE T'INSCRIRE TOI AUSSI DANS CETTE ÉCOLE, YUHI...

124

D'ACCORD !

QUOI ?

TOYA SAIT QUE NOUS SOMMES LÀ... AVEC LUI...

BOBON

RIEN DU TOUT ! FAISONS TOUT NOTRE POS-SIBLE POUR ANNONCER DE BONNES NOU-VELLES AUX AUTRES !!

À TOUT À L'HEURE !

BOBON

BOBON

QUANT À CHIDORI ET SHURO... JE NE VAIS PAS LES REVOIR DE SI TÔT MAIS... JE SAURAI ÊTRE FORTE...

BOBON

MON ÂGME DU CORPS EST AVEC MOI !

JE TROUVE CETTE PENSÉE UN PEU INDÉCENTE MAIS...

JE SUIS SÛRE QUE TOYA N'EN LOUPE PAS UNE... →

BOBON

DEUXIÈME ANNÉE, GROUPE 2

IL Y A DONC EU UNE AUTRE ADMISSION OUTRE YUHI ET MOI ?

CET ÉLÈVE VIENDRAIT AUSSI DE TOKYO JUSTEMENT

IL EST DANS LE GROUPE 5

VEINARDE, JE N'AI JAMAIS MIS LES PIEDS À TOKYO !

UN GARÇON !?

JE TROUVE QUE CETTE ANNÉE NOUS AVONS REÇU BEAUCOUP D'ÉLÈVES EN COURS D'ANNÉE

ÇA ALORS ! UN GARÇON ! ÇA VOUS DIRAIT D'ALLER VOIR À QUOI IL RESSEMBLE ?

CELA ARRIVE RAREMENT

BLA

BLA

TU ES LA TROISIÈME, MIKAGÉ ...

HEIN ?

126

CÉRÈS, VERSION DISCUTABLE, 2E PARTIE

JE SUIS DÉSOLÉE DE DEVOIR INTERVENIR ICI MAIS JE N'AI PAS D'AUTRE ENDROIT DISPONIBLE

CECI PROVIENT DE MON IMAGINATION (DÉSOLÉE)

UNE HISTOIRE CONTÉE PAR H, INSPIRÉE PAR J

ON S'AMUSE TROP BIEN NON ?! ALLEZ, À LA PROCHAINE ! (?)

131

CHUCHOTE.

SST

BLAF

TU M'AS L'AIR EN FORME, TANT MIEUX ...

!?

NOUS DISCUTERONS EN TÊTE-À-TÊTE PLUS TARD !

ATTENDS-MOI, JE VIENDRAI TE CHERCHER !!

JE RÊÊÊÊVE !?

NON SEULEMENT ILS PORTENT LE MÊME NOM MAIS... JE TROUVE QU'ILS SE RESSEMBLENT...

NON

IL EST SUPER ! TU LE CONNAIS, MIKAGÉ !?

TU PEUX TOUJOURS COURIR MON VIEUX ...

RETOURNEZ DANS VOS CLASSES

TU CROIS !? DANS CE CAS, C'EST FRANCHEMENT LE BAZAR !!!

TU VEUX DIRE "LE HASARD" ?!

JE VOUS AI DIT DE RETOURNER DANS VOTRE CLASSE !!

B
O
N
G

AKI ?

"TU NE DOIS PAS T'APPROCHER DE CET HOMME"

CÉRÈS ?... MAIS SI AKI ÉTAIT REVENU ?!... ENFIN, C'EST CE QUE JE ME SUIS DIT...

ON LA LÀ. JE NE VAIS JAMAIS POUVOIR ME CONCENTRER SUR AUTRE CHOSE !

IL EST BALA-FRÉ SUR TOUT LE VISAGE MAIS CELA NE LUI ENLÈVE PAS SON CHARME

NOOON...

MAIS... C'EST QUAND MÊME BIZARRE...

JE TROUVE QUE LES GARÇONS DU GROUPE 6 SONT LES PLUS CHARMANTS !

TU L'AS DIT !

"AYA"

DING DONG

"SI TU NE VEUX PAS L'AFFRONTER, TU DOIS L'ÉVITER"

"IL N'EST PLUS TON FRÈRE"

"PHYSIQUE-MENT AKI EST RESTÉ LE MÊME MAIS SON CORPS EN RENFERME UN AUTRE"

"IL A PEUT-ÊTRE LA FERME INTENTION DE NOUS CAPTURER POUR DE BON"

ALORS POURQUOI NE TE L'AURAIT-IL PAS ANNONCÉ TOUT DE SUITE ?"

... BAH OUI ...

PETITE COUR D'ŒIL

"CONTENTE-TOI TOUT D'ABORD DE L'OBSERVER"

QU'ATTENDS-TU DE LUI ?"

OUI MAIS ...

REGARDE-LA, ELLE PARLE TOUTE SEULE !

QU'EST-CE QUI VOUS A PRIS DE PANIQUER LE JOUR DE VOTRE ENTRÉE À L'ÉCOLE ? AAH AU FAIT, VOUS ÊTES AU COURANT ?

!

QU'UNE RUMEUR COURT AU SUJET DU CHANTIER DE RÉNOVATION DE L'ÉCOLE ?

C'EST ÇA ?

PAS COOL !!

J'AI ENCORE MAL AU COU

'SCUSE ...

RETRAITE DE NOS HÉROS ...

IL S'AGIRAIT DES CRIS PLAINTIFS DES VICTIMES QUI AURAIENT ÉTÉ NOYÉS PENDANT LA FAMEUSE INONDATION ET QUI AURAIENT ÉTÉ ENSEVELIS DANS LE SOUS-SOL DE L'ÉCOLE ? ÇA TIENT DEBOUT !!

HEIN ? QUOI !?

BINGO ! JUSTEMENT, LES VOISINS EN PARLAIENT ! LES OUVRIERS Y AURAIENT ENTENDU DE DRÔLES DE GÉMISSEMENTS !

HEIN ? EUH EH BIEN ...

HÉ HÉ HÉ ! NE M'DITES PAS QUE VOUS NE LA TROUVIEZ PAS MIGNONNE, PETIT COQUIN !

QUELLE IDIOTE CETTE AYA, Y A PAS D'QUOI PANIQUER !!

JAMAIS ENTENDU CETTE RUMEUR...

VOUS VOUS TROMPEZ !

137

JE NE DOIS PAS BAISSER LES BRAS... JE DOIS TENIR BON JUSQU'À SON RETOUR ...

TOYA DOIT CERTAINE-MENT SE BATTRE DE SON CÔTÉ

"J'IRAI CHERCHER MA NYMPHE"

JE VOUS ATTENDS, FAN-TÔMES OU "FON-DATEUR" DE LA FAMILLE, PEU IMPORTE !!

LE VOILÀ !

EUH ...

AYA

J'AIMERAIS QUE L'ON PARLE UN PEU...

PAF

NE ME TOUCHE PAS !!

... AYA

JE VOIS QUE... TU M'AS COMPLÈTEMENT

OUBLIÉ...

JE COMPRENDS, JE NE PEUX PAS NON PLUS TE DEMANDER DE ME FAIRE CONFIANCE

HEIN ... ?!

AUJOURD'HUI... APRÈS LES COURS, J'IRAI À LA BIBLIO-THÈQUE ...

C'EST UN ENDROIT CALME ET FRÉQUEN-TÉ... JE PENSE QUE TU PEUX T'Y RENDRE EN TOUTE CONFIANCE, NON ?

AKI... CE N'ÉTAIT QUAND MÊME PAS... AKI... ?!!

À MOINS QUE ...

DIS-MOI, CÉRÈS... C'ÉTAIT VRAIMENT... LE "FONDATEUR" ... ?

REJOINS-MOI QUAND TU TE SERAS DÉCIDÉE ...

À PLUS !

TIENS ?

TOUT EST POSSIBLE PUISQUE MOI AUSSI J'AI PU SORTIR DE MA CARAPACE... POURQUOI PAS LUI ?

BAH, IL ME SEMBLE QU'ELLE EST DÉJÀ PARTIE NON ?

HÉ, VOUS N'AURIEZ PAS VU MIKAGÉ, LA NOUVELLE ÉLÈVE ?

PARTIE SEULE ? C'EST ÉTRANGE !

Les débats (?) se multiplient entre les partisans de "Toya", "Yuhi" et "Aki" (rires) mais nombreux sont assis entre deux chaises et disent "Je suis fan de Toya mais Yuhi me plaît aussi et je souhaite qu'il soit heureux" ou bien "Je suis fan de Yuhi mais je voudrais que Toya connaisse le bonheur avec Aya et moi avec Yuhi" (hi hi)... D'autres désirent une union entre "Aya et Aki..." mais je ne peux accepter cette demande (rires), n'oubliez pas qu'ils sont frère et sœur ! Il arrive qu'on dénigre les autres personnages mais personnellement je trouve ça un peu... déplacé. Est-ce cette attitude que l'on appellerait personnelle ? Comme c'est triste ! On ne peut pas tout aimer ou tout détester mais ce n'est pas une raison pour critiquer ce que les autres aiment. Vivons dans une entente harmonieuse ! Le monde ne tourne pas autour de nos propres exigences et jamais les goûts et les couleurs ne pourront se discuter. C'est très mal d'imposer ses idées aux autres. D'ailleurs, la même question revient souvent dans le jeu "Final Fantasy VII" : "qui préférez-vous entre Tifa et Aérith ?". Moi, j'aime Aérith mais je trouve Tifa charmante et gentille. En général, je suis du genre à être précise dans mes appréciations mais lorsqu'il s'agit de relations humaines, il faut savoir se contenir et ne pas critiquer à tort et à travers, il faut savoir être diplomate et dire "personnellement cela me plaît mais j'accepte tout à fait l'existence de ce propos". Au fait, j'ai trouvé parmi mes lectrices le prénom de "Aya" ! Il existe donc parmi les filles ! Comme elle a dû être surprise ! Pourquoi ses parents ont-ils choisi ce prénom ? On m'a aussi fait part qu'il existait un petit "Yuhi". Je me demande si on trouve des Toya...

Ah ! Le fascicule du magazine n°999 intitulé "publication interdite aux moins de 16 ans" paraîtra prochainement en livre de poche !! (Les demandes étaient nombreuses) seulement, il va falloir que je rajoute des écrits pour l'étoffer un peu... je vous prie d'être patient même ceux qui n'étaient pas au courant !!...

... PARDON !?

LE NOUVEAU DU GROUPE 5 EST UN "MIKAGÉ" LUI AUSSI, VOUS VOUS CONNAISSEZ TOUS LES TROIS ?

OH ! MAIS TU ES LE NOUVEAU DU GROUPE 6, N'EST-CE PAS ?

JE DOIS EN AVOIR LE CŒUR NET... J'EN AI ASSEZ DE DEVOIR FUIR CONSTAMMENT

BIBLIOTHEQUE

C'EST TOI... ?
C'EST VRAI-
MENT TOI
!?

AKI... ?

GLOU

...IL Y A DE
ÇA UN MOIS
ENVIRON, J'AI
RESSENTI UNE
VIVE DOULEUR
ET... JE ME
SUIS RENDU
COMPTE QUE
J'ÉTAIS BLESSÉ
AU BRAS
...

L'HOMME QUI ME
HANTE SORT
ENCORE DE MOI
DE TEMPS À
AUTRE MAIS...
CES TEMPS-CI,
JE SUIS DEVENU
PLUS FORT QUE
LUI, JE N'AI RIEN
DIT À KAGAMI...

IL M'A LIBÉRÉ
EN ÉCHANGE
DE MON
ACCORD POUR
COLLABORER
AVEC LUI DANS
LE "PROJET C" !

ALORS,
J'APPRENDS
QUE...
TU ALLAIS
T'INSCRIRE À
L'ÉCOLE DE
TANGO

TIENS... !
C'EST UN
TIC BIEN À
LUI, ÇA !

145

LÂCHE
AYA
... !

...
JE TUERAI LE
PREMIER QUI LUI
FERA DU MAL !!...
QU'IL SOIT SON
FRÈRE OU NON
!!

...
C'EST CE
QU'ON VA
VOIR !

...
DITES DONC,
VOUS LÀ-BAS !
QU'EST-CE
QUE VOUS
FAITES
?!!

....

158

Vous savez quoi ? La même remarque revient assez souvent ces temps-ci : "Vos dessins ont changé". En fait, j'ai simplement retrouvé le style de mes débuts. Effectivement, on constate un léger changement mais cela me convient. On peut remarquer ce changement dès le 4e ou 5e volume et vous allez me dire que "Aya est devenue plus mignonne" ou que "les expressions de Toya se sont adoucies", ça dépend. Je reçois des avis du genre "je trouve qu'Aya s'est embellie depuis qu'elle a concrétisé son amour avec Toya"... Ah oui ? (rires). Je n'ai jamais pris conscience de ces faits, ce sont mes personnages qui changent tout naturellement ! Toya a un visage plus doux et concernant Yuhi, mon assistante ressent en lui "un homme"(rires). Eh oui, lui aussi il mûrit. "Les cheveux courts, elle fait plus femme et je la trouve très belle depuis qu'elle est avec Toya", j'ai adoré cette remarque.

J'adore les histoires sérieuses, je les trouve faciles à dessiner car rien ne vaut un sujet ou des dessins réalistes. "Cérès" est une œuvre pour des lycéens ou des adultes (bien entendu, les plus jeunes peuvent aussi en profiter). Même si vous y rencontrez des scènes ou des séquences peu élégantes, je vous demanderais de lire l'histoire jusqu'au bout. Pour répondre à la question "me donneriez-vous le remède pour être bon en dessin ?" eh bien, malheureusement, il n'y a aucun remède. Il faut s'entraîner, c'est tout. Il suffit de dessiner tout ce qui vous passe à l'esprit, d'analyser chaque trait et avec un peu d'effort tout le monde peut y arriver (quand j'pense que j'ai mis neuf ans avant d'avoir pu me stabiliser ! Je ne suis pas au bout de mes peines !). Savoir seulement dessiner, il n'y a là aucun problème mais lorsque l'on effleure le domaine des bandes dessinées, ce talent ne suffit pas. Il faut penser au contenu de l'histoire et si le cœur y est, croyez-moi, on arrive à tout ! J'entends souvent dire autour de moi que, actuellement au Japon, on se contente de maquiller l'aspect extérieur sans se soucier du contenu et je pense que les œuvres écrites n'échappent pas à cette règle. Moi, j'écris des BD dans le but de faire passer un message qui me tient à cœur... Allez les jeunes, vous avez toute la vie devant vous, foncez ! Ne vous laissez pas abattre ! ...Quelle passion... ! Merci à ceux qui m'ont achetée un calendrier (j'en pleure de joie).
À la prochaine.
Novembre 98.

SALUT

MIKAGÉ, VOUS VOUS PORTEZ VOLONTAIRE ?! TRÈS BIEN, COMMENCEZ À LA LIGNE 5 DE LA PAGE 43

EUH

HEIN ?

.....

AH OUAIS ?

TU JOUES AU FOOT TOI ?

ESPÈCE DE "LYCÉEN RATÉ"

DANS... DANS L'ANCIEN TEMPS, LE... LE MARIAGE... AINSI QUE... QUE ...

..."AKI MIKAGÉ" SAIT FAIRE ÉGALEMENT D'AUTRES CHOSES ...

YUHI... ÇA VA BARDER !!

168

... OUGH ... !!

AOGIRI, QU'EST-CE QUI T'ARRIVE !!

QU'EST-CE QUE C'EST !?

YUHI !?

MONSIEUR ! IL A LE BRAS CASSÉ !

TIENS BON !!

EMMENEZ-LE À L'INFIRMERIE POUR LE MOMENT, ON VERRA APRÈS...

OUI... C'EST ÇA, FRACTURE DU BRAS DROIT !! J'EN AI POUR DEUX MOIS !

BAH

JE ME SUIS CASSÉ LA FIGU-RE PENDANT LES COURS DE GYM !

...

J'AI ENCO-RE MAL, CERTES, MAIS ...

TU N'PEUX PAS SAVOIR CE QUE J'SUIS BIEN ...

PIN PON

PIN PON

MONSIEUR YUHI TIENT ABSOLU-MENT À DEVENIR CUISINIER

IL SAIT AUSSI SE SERVIR DE LA MAIN GAUCHE MAIS QUAND MÊME !

BOBOM

N'ENFIN...

CELA ME RASSURE, LES MÉDECINS DISENT QU'IL N'AURA PAS DE SÉQUELLES !

NE T'INQUIÈTE PAS, GRANDE SŒUR !

OUI, ÇA VA ALLER !

176

JE N'EN REVIENS PAS... L'ÉCOLE EST UN VRAI LIEU DE DIVERTISSEMENT !

IL EN A POUR DEUX MOIS... AVEC SON BRAS !!

REGARDE... J'AI TROUVÉ ÇA SUR MON BUREAU AVEC UNE LETTRE !

HÉÉÉ !

TU M'ÉCOUTES QUAND J'TE PARLE ?!!

... TU ES BIEN LA SEULE QUE JE CONSIDÈRE COMME UNE "FEMME" !

FEMELLES ?!

GNN

"JE SERAIS HEUREUSE SI VOUS PORTIEZ CE BRACELET"... ON Y TROUVE TOUTES SORTES DE FEMELLES !

178

C'EST UN AMI POUR MOI !! QUE JE QUALIFIERAIS COMME LE MEILLEUR AMI QUI PUISSE EXISTER !!

ALORS JE TE DÉFENDS DE T'EN PRENDRE À LUI !!

VOIS-TU CETTE FENÊTRE ?

ON Y VOIT LES ÉLÈVES DU GROUPE 6... ET AOGIRI EST PRÈS DE CETTE FENÊTRE...

PARDON

PARDONNE-MOI
...

CLAP
CLAP
... TRÈS BIEN,
BRAVO !!
CLAP
CLAP

190

"AYASHI NO SERESU !"
un conte de fées céleste
© 1996 by WATASE Yuu

All rights reserved
Original japanese edition published in 1996 by SHOGAKUKAN Inc., Tokyo
French translation rights arranged with SHOGAKUKAN Inc.
for Belgium, Canada, France, Luxembourg and Switzerland

Édition française :
© 2001 TONKAM
BP 356 - 75526 Paris Cedex 11
Traduction : Nathalie Mating
Adaptation, Lettrage et Maquette : Studio TONKAM

Achevé d'imprimer en décembre 2001
sur les presses de l'imprimerie Darantiere à Quétigny (Côte d'Or)
Dépôt légal : janvier 2002